Coleção
anamaria
machado

CB028037

Coleção anamaria machado

O mistério da ilha

mandingas da Ilha Quilomba

Ilustrações

Zeflávio Teixeira

editora ática

O mistério da ilha

Diretor editorial	Fernando Paixão
Editora	Carmen Lúcia Campos
Editora assistente	Elza Mendes
Coordenadora de revisão	Ivany Picasso Batista
Revisora	Cátia de Almeida

ARTE

Projeto gráfico	Victor Burton
Editora	Suzana Laub
Editor assistente	Antonio Paulos
Editoração eletrônica	Ana Paula Brandão
Edição eletrônica de imagens	Cesar Wolf

CIP-BRASIL. CATALOGAÇÃO NA FONTE
SINDICATO NACIONAL DOS EDITORES DE LIVROS, RJ

M129m

Machado, Ana Maria, 1941-
O mistério da ilha / Ana Maria Machado ; ilustrações Zeflávio Teixeira. - 1.ed. - São Paulo : Ática, 2008.
64p. : il. -(Coleção Ana Maria Machado)

Apêndice
Inclui bilbiografia
Contém suplemento de leitura
ISBN 978-85-08-08373-2

1. Literatura juvenil. I. Teixeira, Zeflávio. II. Título. III. Série.

08-2200. CDD: 028.5
CDU: 087.5

ISBN 978 85 08 08373-2 (aluno)
ISBN 978 85 08 08374-9 (professor)

2024
1ª edição
24ª impressão
Impressão e acabamento: Log&Print Gráfica, Dados Variáveis e Logística S.A.

Av. Otaviano Alves de Lima, 4400 – CEP 02909-900 – São Paulo, SP
Atendimento ao cliente: 4003-3061 – atendimento@atica.com.br
www.atica.com.br

Coleção 

Carlos é filho do patrão. Chico é filho do empregado. Carlos está acostumado a mandar e a ter tudo pronto e feito pelas pessoas que obedecem às suas ordens. Ele quer sair de barco e precisa de Chico, que sabe manejar o veleiro e conhece o mar como ninguém. Chico prefere soltar pipa com os amigos, mas de que adianta sua vontade?

E lá vão eles mar adentro... O dia está lindo. A brisa suave toca as velas...

Porém, não demora muito e, sem mais nem menos, os garotos se veem envolvidos por uma neblina espessa fechando o caminho. Para piorar a situação, o barco encalha; inexplicavelmente Carlos fica nu...

Mas tudo isso não é nada perto das coisas que vão acontecer depois. Chico e Carlos nunca mais serão os mesmos...

E pensar que a autora se inspirou no zigue-zague de um caranguejo na areia para criar esta aventura! Aventura capaz de transformar a vida dos nossos personagens e deixar você cara a cara com importante momento da história do nosso país: quando um povo viveu seu sonho de liberdade, longe de qualquer forma de exploração e qualquer tipo de autoritarismo.

Sumário

1 Dia claro e com mistério

O dia era lindo, tão lindo quanto se puder imaginar. E Carlos estava de férias. Quer dizer, não precisava acordar cedo. Mas, mesmo assim, acordou. Talvez por causa da luz que entrava tão clara pela janela. Talvez por causa do hábito do horário da escola. Talvez por causa de um sonho esquisito que agora fugia da cabeça sem que ele conseguisse lembrar, apesar de fazer força. Tudo se desmanchando, sumindo para longe, por mais que a curiosidade fizesse com que ele tentasse agarrar as imagens na memória. Como se a luz do dia e o ato de abrir os olhos derretessem tudo o que ele tinha visto e vivido naquela misteriosa região do sono. Nem mesmo sabia se era um sonho bom ou um pesadelo. Só tinha certeza de que era muito nítido, como uma coisa vivida de verdade. E agora estava esquecendo, que droga! Mas já sabia que, quando acontece isso, o melhor é a gente não ficar forçando. Mais tarde, a lembrança do sonho volta. Na hora que ela quiser, porque não dá para comandar muito esses assuntos. Pelo menos, ele, Carlos, não conseguia.

De qualquer jeito, o que importava agora é que tinha acordado. Por isso, o melhor era levantar.

Foi até a janela e olhou o dia que começava.

Lá embaixo, do outro lado da rua e da calçada, dos coqueiros e da areia, o mar de água clara se espreguiçava.

Como se também estivesse acabando de acordar. Mas, também, como se estivesse chamando o menino para perto dele. Não do jeito manso que o mar sabe chamar quando a gente encosta um búzio no ouvido, uma voz que vem de longe. Mas do jeito urgente que a água verde usa para atrair quem nasceu e vive na beira do seu movimento salgado. Aquele jeito cheiroso e, de repente, o jeito que faz a gente largar tudo o que tem para fazer e sair correndo para junto do mar.

Foi o que Carlos fez. Nem teve dúvidas. Abriu a gaveta, pegou um calção, vestiu uma camisa colorida, apanhou um impermeável para o caso de alguma emergência e num instante estava na sala. Engoliu o café às pressas, reclamando da demora:

— Puxa, Maria, que lesma... Anda logo com isso, que eu não posso perder tempo... E prepare um lanche para eu levar. Depressa, que eu vou passar o dia no mar.

Quando Carlos queria uma coisa, era sempre assim. Queria porque queria porque queria. Feito uma criancinha teimosa. Pouco estava ligando para os problemas dos outros.

Estava mesmo acostumado a que fizessem tudo para ele. Já de saída, avisou à mãe:

— Vou sair de barco.

A resposta veio um tanto preocupada:

— Sozinho, meu filho? Você sabe que eu não gosto...

— Bobagem, mãe, já estou grande, sei velejar direito. Afinal de contas, desde pequeno que não faço outra coisa com papai todo domingo. E depois, não vou sozinho. Vou chamar o Chico. Ele vai comigo e me dá uma mão. O mar está calmo, o vento está ótimo, não tem nem uma nuvem no céu...

A mãe insistiu:

— Mas Chico é da sua idade, meu filho... Não é a mesma coisa que sair com um adulto.

— Fique descansada, mãe. A gente não vai longe. Vamos só ficar dentro da baía, não tem nem onda... Como das outras vezes. Não se preocupe. Tchau.

Desceu as escadas apressado, acabando de fechar a sacola onde tinha jogado de qualquer maneira as frutas e os sanduíches que a empregada lhe entregara. Ainda se preocupou um pouco: e se não encontrasse Chico? O chato de só resolver sair de barco em cima da hora é que podia ser que o companheiro tivesse ido fazer outra coisa. E sozinho, Carlos não podia ir. Não sabia nem manobrar a embarcação direito.

Mas Chico estava no cais. Com um bando de amigos, preparando-se para soltar pipa. Pipa que ele mesmo tinha feito. Chico era danado de jeitoso. Fazia cada coisa linda — pipa, balão, espingardinha de cabo de guarda-chuva, atiradeira. Consertava tudo. Dava jeito em tudo. Fazia milagres com seu inseparável canivete. Era um bamba na bola de gude. Um craque no futebol. E ainda soltava pião como ninguém.

— Chico, vamos sair de barco — avisou Carlos, em tom de mando.

Dava para ver que Chico não tinha gostado da ideia. Em volta, os amigos todos olhavam, esperando, de pipa na mão. Ele ainda tentou reclamar:

— Mas, Carlos, você não tinha avisado nada... Eu já tinha combinado outra coisa. Está uma brisa ótima, a gente ia soltar pipa.

— Não avisei nada porque não sabia, não podia adivinhar. Só hoje de manhã é que me deu vontade. Essa tal brisa ótima de que você falou... Anda logo. Estou te esperando lá dentro.

E enquanto Chico suspirava, ainda veio outra ordem:

— Ah, vê se arruma também qualquer coisa para matar a sede. Eu só trouxe comida...

Com suspiro ou sem suspiro, que jeito? Chico tinha mesmo que perder seu programa. Afinal de contas, assim é que eram as coisas, desde que ele se entendia por gente. O pai de Carlos pagava. O pai de Chico recebia. O pai de Carlos mandava. O pai de Chico cumpria. E, se Carlos ordenava, a pipa de Chico ficava mesmo para outro dia.

Providenciou tudo. E num instante estavam saindo. Bom filho de marinheiro, ajudando o pai desde pequeno, Chico era um mestre nas coisas do mar. Gostava de domar a brisa, cavalgar as ondas, empinar na arrebentação, deslizar no sol. Soltar as velas ao vento era com ele mesmo. Só tinha se aborrecido porque nesse dia seu encontro com o vento devia ser outro, em terra, de pipa na linha, na companhia dos amigos... Pelo menos, era o que tinha planejado. Mas Carlos até que podia ser bom companheiro — às vezes. E o passeio, afinal, era bom. Dava gosto sentir o calor do sol e os respingos da água, ouvir o cabo da vela gemer de vez em quando, ver passar uma gaivota, descobrir o brilho de um peixe pulando ao longe.

Por sua vez, Carlos estava feliz. Tinha sido boa a ideia de aproveitar o barco que o pai só usava no fim de semana. Um passeio lindo. O mar azul, encontrando o céu claro lá longe, um dia limpo, sem nuvem nenhuma... Sem nuvem? E aquela ali na frente, tão perto? Seria capaz de jurar que ela tinha se formado de repente, justamente naquele instante, não estava ali ainda há pouco, tinha certeza. Tinha olhado naquela direção há pouquinho, não havia nada. Ia exatamente comentar alguma coisa, quando ouviu a voz de Chico reclamar:

— Mas que neblina mais esquisita aí na frente...

— Também achei — concordou Carlos. — E se formou de repente, ainda agora não tinha nada.

— Nunca vi uma neblina desse jeito, assim tão esquisita... — repetiu Chico, e sua voz mostrava que ele estava meio assustado.

Carlos também estava, mas tentou dar um palpite fingindo calma. Afinal de contas, ele era uma espécie de capitão daquele barco e não podia dar a impressão de que estava com medo.

— Vamos desviar dela, Chico.

— Se a gente pudesse, bem que eu desviava. Mas é que ela não está desviando da gente, veja só. A gente muda o rumo do barco e ela também muda. Está vindo para cá, na direção da gente, e bem depressa.

Estava mesmo.

Num instante estavam inteiramente cercados.

2 Roupas que somem

Quando a gente está dentro de casa, de noite, com luz elétrica ou lampião, e apaga tudo para ir dormir, fica um breu de repente. Mas era isso mesmo o que a gente queria e esperava. Numa piscadela, muda tudo, da claridade para a escuridão. Pois foi quase isso o que aconteceu com os dois amigos no barco, sem que ninguém esperasse. Só que era ao ar livre. E o que surgiu não foi uma escuridão verdadeira, daquelas pretas. Foi uma coisa cinzenta, espessa, que não deixava que eles vissem as próprias mãos quando esticavam os braços. Uma neblina muito forte mesmo.

Sol, calor, gaivota, espuma das ondinhas, tudo sumiu. Os meninos tentaram tirar o barco daquele mundo cinzento. Não conseguiram. Cada vez era mais difícil, parecia impossível, como se não adiantasse lutar contra alguma força estranha e misteriosa. O mar continuava calmo, a brisa ainda tocava o barco de leve em alguma direção, não havia solavancos, nada se agitava... Seguiam adiante. Mas não sabiam para onde, nem conseguiam ter a menor ideia de seu rumo ou destino.

Não demorou muito, e bateram em alguma coisa no fundo. Ao mesmo tempo, tiveram a sensação de parar de repente. Chico foi o primeiro a tomar pé na situação e dizer alguma coisa:

— Acho que encalhamos, Carlos. Vou tentar ver.

— Espere aí, Chico, está clareando. Veja lá em cima: dá para ver a ponta do mastro. E olha lá uma mancha de céu azul aumentando. Parece que o vento está empurrando a nuvem.

— É mesmo, e bem depressa. Pela rapidez, devia ser uma ventania, mas parece a mesma brisa de antes. Ainda estou achando tudo isso muito esquisito... Mas que está clareando, está...

Estava mesmo. Já dava para ver o barco todo, o mar, até mais adiante.

— Olhe só! — mostrou Carlos. — A praia está pertinho...

Tinham encalhado num banco de areia. Na certa iam desencalhar sozinhos, apenas com a correnteza, quando a maré enchesse. Jogaram o ferro para ancorar o barco. Com sua experiência das coisas do mar, Chico sugeriu:

— O jeito é mesmo esperar. Podíamos nadar um pouco enquanto a maré não sobe. Ainda vai levar umas horas.

— Podíamos é ir até à praia — lembrou Carlos. — Está tão perto e é tão bonita... Parece que não tem ninguém, que nem aquelas praias desertas que a gente vê nos filmes.

— Boa ideia — concordou Chico.

E logo mergulhou. O outro foi atrás. Num instante nadavam pela água clara em direção à areia. Lá poderiam deitar e esperar, ou explorar um pouco aquele lugar diferente, que eles ainda não conheciam. Em poucas braçadas já estavam chegando à arrebentação, onde pequenas ondas se formavam e se quebravam suavemente. Era uma praia tão mansa e tão rasa que já estava dando pé. Ao se levantarem, Carlos percebeu que estava nu. Chico perguntou:

— Que houve com teu calção?

— Sei lá, não vi. Devo ter perdido por aí. Vai ver, alguma onda carregou enquanto eu estava nadando.

— Carregou como, cara, se não teve nenhuma onda grande?

— E eu é que sei? Só sei que perdi meu calção e não vou andar pelado por aí. Me dá o seu.

O tom de voz era de ordem, daquelas ordens que exigem ser cumpridas. Mas Chico ainda argumentou:

— Não é calção, é calça cortada. Você estava com tanta pressa que nem me deu tempo de trocar de roupa.

— Não faz mal, seja lá o que for. Passa a calça para eu vestir que eu não vou ficar nu por aí.

Chico obedeceu, que jeito? Ficou só de sunga. Assim que se vestiu, Carlos achou que valia a pena que eles tentassem descobrir onde estavam, que lugar era aquele. Deu logo outra ordem:

— Vá até aquelas pedras lá na ponta da praia, para ver se tem alguma casa do outro lado. Quem sabe se alguém pode nos ajudar...

Chico foi. Essa ordem foi boa de cumprir. Na verdade, ele estava doido para explorar aquele lugar desconhecido, tão bonito, tão sossegado, uma praia de que ele nunca tinha ouvido falar, mesmo tendo passado a vida toda entre os pescadores e marinheiros ali de perto. Não podia ser longe, afinal a tal neblina tinha sido forte, mas não durou quase nada. Não dava para terem percorrido longas distâncias. Tinha certeza de que não podiam ter saído da baía, mesmo porque não tinham enfrentado ondas de mar aberto. Mas ele nunca tinha visto nem ouvido falar numa praia dessas por ali.

Enquanto Chico caminhava pela beira da água, sentindo a areia afundar debaixo dos pés, Carlos tratou de se deitar um pouco. Mas não conseguiu ficar muito tempo. O sol estava forte demais. Era melhor procurar alguma sombra. Logo ali em cima, havia umas árvores. Não eram muito altas, mas protegiam. Contornou uma moita, ajeitou um bom cantinho sem pedras nem gravetos e se deitou. Num instante, estava cochilando. Não sabia se tinha dormido muito ou pouco tempo, quando ouviu a voz de Chico:

— Cadê minha calça?

No primeiro momento, Carlos não entendeu. Olhava pra frente e via Chico de pé, vestido na sunga. Aí olhou para si mesmo. Levou um susto. Estava nu outra vez. Olhou em volta. Nem sinal da calça. Como se ela tivesse desmanchado, evaporado, derretido, qualquer coisa assim. Tinha desaparecido. O outro estava ficando impaciente:

— Cadê minha calça? Que brincadeira mais sem graça...

Sem graça ficou Carlos para responder:

— Sei lá. Vai ver, enganchou em algum galho aí dessa moita quando eu estava vindo para cá.

— Arranja outra história, que essa não cola, cara!

— Só pode ser isso. Vamos procurar.

Mas não era nada disso. Procuraram, procuraram, e não acharam. Quando viu que não encontrava mesmo a calça perdida, Carlos mais uma vez falou com voz de dono:

— Então me dá sua sunga.

Mas Chico respondeu num tom um pouco diferente do habitual:

— Deixa disso, Carlos, trate é de achar minha calça.

O outro coçou a cabeça, meio sem jeito:

— Já sei... Deve ter prendido em algum espinheiro quando eu estava entrando no mato. Só pode ser isso. Um desses espinheiros aí...

Falou com tanta convicção que era capaz até de acreditar na história que ele mesmo estava inventando. Só que Chico interrompeu:

— Que espinheiro? Não estou vendo nenhum espinheiro por aqui...

— É... então foi em galho sem espinho mesmo.

Chico olhou em volta e fez a pergunta lógica:

— E então, cadê essa calça presa nesse tal galho?

— Sei lá... Vai ver, rasgou...

Chico estava perdendo a paciência com tanta desculpa esfarrapada, mais esfarrapada que os tais rasgões imaginários na calça que ninguém via. E foi firme:

— *Sei lá*, pra você é tudo *sei lá*... Mas tem uma coisa que *eu* sei. É que eu vou querer outra. Você pensa que eu tenho roupa de sobra para você ficar perdendo por aí?

— Está bem, Chico, depois eu dou...

— Você é mesmo um desastrado, hein? Perde tudo. Não perde a cabeça porque está grudada no pescoço.

— Também não precisa ficar falando nisso toda hora...

Carlos não estava gostando nada daquilo. Primeiro perdia a roupa e não sabia como. Ainda por cima, ficava levando bronca de um cara que sempre tinha ouvido calado tudo o que ele dizia. O melhor era disfarçar e mudar de assunto.

— Chico, por falar em perder, será que nós estamos perdidos? Você viu alguém do outro lado das pedras? Reconheceu o lugar onde nós estamos?

— Nada, Carlos. Não vi ninguém, nem casa nenhuma, nem nenhuma fumacinha. O jeito vai ser mesmo esperar a maré subir para desencalhar o barco. Aí a gente volta pra casa.

— Talvez fosse bom a gente dar um pulo no barco, ver como é que está a maré — sugeriu Carlos.

— Nem precisa. Ainda nem acabou de baixar. Vamos ter que esperar algumas horas até ela subir.

Carlos ficou meio sem graça com a resposta, deu um riso amarelo e achou melhor confessar o verdadeiro motivo de sua sugestão:

— Não é bem isso. É que eu queria ver se arranjava alguma roupa para vestir. Pode chegar alguém de repente, né?, e não fica bem eu ficar assim pelado. Eu acho que lá no barco tinha uma calça que alguém esqueceu outro dia. Está meio velha e suja, mas serve... Vamos?

Foram. Tinham mesmo que matar o tempo. Quando chegaram, Chico ficou um pouco na água, mergulhando em volta da embarcação, para ver como estava o encalhe, enquanto Carlos subia a bordo e examinava a situação da roupa. De início, custou a achar a tal calça velha. Chamou Chico para ajudar a procurar:

— Dá uma mãozinha aqui. Tenho certeza de que a calça ficou em algum lugar...Você não viu?

— Não vi, não. Mas, se você quiser, ali tem um saco vazio. Sempre é um pedaço de pano... — respondeu Chico, ainda dentro d'água.

— Ah, achei! — exclamou Carlos. — Eu sabia que tinha. Ai, que bom... Agora, é só dar uma boa sacudida nela para jogar longe essa poeirada, e num instante estou vestido outra vez.

Por cima da amurada, começou a sacudir a roupa. Mas não demorou muito. Num instante, estava gritando e xingando:

— Essa não! Mas que droga, não é possível, até parece perseguição, pô! O vento está carregando a calça...

Chico ainda olhou a tempo de ver a roupa caindo n'água, bem lá longe. E a tempo de ouvir a ordem:

— Depressa, Chico, mergulha e vê se consegue pegar antes que ela afunde.

Bem rápido, ele saiu nadando com a agilidade a que estava acostumado. Mas não adiantou nada. No lugar onde tinha visto a calça velha cair, Chico não encontrou nada. Quer dizer, nada, não. A água estava tão clara que dava para ver muito bem o fundo da areia lisinha, um cardume de peixinhos passando e até uma estrela-do-mar meio enterrada. Só não dava para ver a tal da calça desaparecida. Parecia que, em vez de afundar, ela tinha batido asas e voado para bem longe. Ou evaporado. Ou ficado invisível. Chico já estava ficando cismado com aquelas roupas que sumiam. Imaginava como Carlos estaria se sentindo. Nadou de volta até o barco e comunicou:

— Nem sinal da calça.

— Então me dá a sua sunga — insistiu o outro.

— Já disse que não.

— Não precisa ficar pelado. Você pode se enrolar no tal saco de estopa... Acho mesmo que você nem procurou a calça direito.

— Chega, Carlos, não dá mais, desista. Se quiser, se enrole você. Pra mim, chega. Vou indo, te encontro na praia.

E Chico mergulhou, saiu nadando. Carlos estranhou. Estranhou o tom, o olhar, a resposta. Chico sempre tinha sido um garoto tão obediente, tão respeitador. Andava ficando meio esquisito agora. Mas, enfim, não era hora de discutir. E mesmo que quisesse, o outro já estava longe. Havia problemas mais urgentes para resolver. O jeito era mesmo recorrer àquele saco imundo, grosso, que espetava. Pegou o pedaço de estopa, se enrolou nele, improvisou uma tanga, como se fosse um náufrago. Tinha certeza de que aquele equilíbrio precário não ia resistir às primeiras braçadas dentro d'água, claro que ia cair e se perder também, um pedaço de pano enrolado, sem costura, preso só com uma maneira de dobrar e dar nó... Pensando que aquele não era mesmo seu dia de sorte, que devia era ter ficado em casa, Carlos mergulhou e nadou para a praia.

3 Mico ou mandinga?

Quando percebeu que já estava bem raso, Carlos tomou pé e se levantou. Apesar das ondas pequenas que passavam e iam se quebrar na areia, a tanga improvisada continuava firme em seu lugar. Não deixava de ser surpreendente. Já sentado na praia, Chico contemplava um caranguejinho amarelo meio esbranquiçado, um bicho que ele estava acostumado a ver desde pequeno, sempre cavando seus túneis, quase da cor da areia, se escondendo nela. Carlos mexeu com ele:

— Que é isso? Está com medo da maria-farinha?

— Eu, hein, está me estranhando? Estou só reparando no bicho, olha bem. E o nome dele não é maria-farinha, é goroçá, já esqueceu?

A discussão era velha. De vez em quando tinha alguma coisa assim, que um chamava de um jeito, outro chamava de outro. Cada um usava a palavra que sempre tinha ouvido dos pais. Mas se entendiam. Se alguma coisa separava os dois, não era só uma questão de palavras. Carlos olhou a maria-farinha. Ou goroçá, como queiram. Era um bicho engraçado. Andava de costas ou de lado, bem rápido, às vezes saía correndo de banda, sempre de olho em pé, dois olhos duros, pretos, espetados para cima. E as pinças serrilhadas, que Chico chamava de puãs, como se fossem mãos ou garras, sempre prontas pra se defender, mas que também eram capazes de carregar areia de dentro da toca para fora, ou de pegar alguma comida no chão delicadamente e pôr na boca. Quando os meninos queriam pegar caranguejo, tinham sempre que segurar firme a carapaça pelas costas, para não levarem picada. Mas aquele ali não adiantava pegar, era só para ver, não tinha mesmo nada para comer de tão magrelo e pequeno, nem dava para pensar em matar a fome com um bichinho daqueles. E só criança pequena é que fica apanhando goroçá pra brincar... Carlos não conseguia ver o que é que podia estar interessando tanto o amigo num bicho tão comum, correndo de um buraco para outro, deixando a areia toda marcada com os rastros de um monte de pernas, uns risquinhos que até pareciam aquelas inscrições antigas, de povos que viveram há séculos e deixaram mensagens que ninguém conseguiu decifrar, como estava escrito no livro de História. Resolveu pedir uma explicação:

— Já olhei bem e não vi nada demais. Que é que você está reparando tanto? A marca dos caminhos de um buraco pro outro? Eles ficam se visitando, né? Olha, ali tem outro...

— Tem uma porção... Mas o que eu estava reparando era outra coisa: a trabalheira que ele tem. Se a gente tampa um buraco, ou corre atrás dele quando ele está longe da toca, ele num instante cava outro bem depressa e se esconde. Já imaginou, o cara ter que ficar toda hora fazendo uma casa nova?

Carlos olhou para o amigo, sem entender bem onde é que ele queria chegar, Chico continuava:

— Pois é, estou vendo é que bicho também trabalha. E eu que pensava que trabalho era coisa só de gente...

Enquanto Carlos reparava naquele olhar novo outra vez no rosto de Chico, ouviu ainda o comentário final:

— Quer dizer, de toda gente, não, só de alguns, né, Carlos? Tem uns e outros por aí que, sei lá, se fossem depender do trabalho pra ter uma casa, iam mesmo é morar na areia...

E riu uma risada gostosa, com um ar moleque. Carlos não gostou. Achou melhor cortar aquele papo, mudar de assunto:

— Em vez de ficar pensando na vida e dizendo besteira, era melhor tentar resolver os problemas da gente. Estou morrendo de fome, você não está?

— Ainda agora estava ouvindo a barriga roncar — concordou Chico.

— Pois é... E maria-farinha não se come. Mas também, que burros que nós fomos! — exclamou Carlos, dando um tapa na testa. — Devíamos ter comido lá no barco.

Mediu com os olhos a distância que separava a praia da embarcação e ordenou:

— Chico, dá uma nadada até lá pra buscar uns sanduíches.

Chico só olhou pra ele, com o tal olhar que andava nascendo, num desafio tão intenso que Carlos achou melhor dar outra sugestão:

— Ou então, vê se arranja alguma coisa pra gente comer por aí.

Não era má ideia. A fome estava apertando mesmo. E a curiosidade de ver um pouco mais que lugar era aquele ajudou a decidir Chico. Deixou Carlos na praia e entrou no mato. Passou a vegetação rasteira, cheia de flores em forma de campainhas roxas, passou o coqueiral, meteu-se por umas moitas de aroeira e pitangueira, contornou umas touceiras de malmequer e foi penetrando pelo meio de umas árvores. Parecia com tantas outras praias onde já tinha estado, o mesmo tipo de planta, tudo. Mas sem dúvida havia alguma coisa esquisita naquele lugar tão bonito. Talvez fosse uma calma que nem dava para explicar. Flores por toda parte. Ele não sabia muito nome de flor, nem dava pra contar pra ninguém depois, mas reconhecia uma porção, as cores, os cheiros, só que ali elas pareciam maiores, mais bonitas, mais brilhantes, mais perfumadas. Passarinho também, tinha muito, como ele nunca tinha visto tanto junto. Saíra, tiê-sangue, bem-te-vi, sanhaço, beija-flor. E mais um bando de maritaca berrando no alto de uma árvore. E não era uma árvore qualquer, não. Era uma mangueira grande, cheia, carregadinha. Gozado, mangueira no meio do mato. Olhando melhor, Chico reparou que aquele mato não era bem mato, era cheio de pé de fruta. Parecia até um pomar, coisa plantada por alguém, só que as árvores não eram enfileiradas. Tinha caju, tinha manga, tinha goiaba, tinha banana. Comeu umas frutas por ali e foi ficando, descansado, sem pressa, reparando nos passarinhos, escutando o canto deles, seguindo com os olhos um par de borboletas que tinham as asas azuis por cima e castanhas por baixo, e quando elas voavam às vezes se via um lado, às vezes o outro, parecia que elas estavam piscando, duas manchinhas de céu que apareciam e desapareciam, feito vaga-lumes de dia, estrelas ao contrário.

Ia distraidíssimo seguindo os pensamentos por esses caminhos quando, de repente, lembrou de Carlos:

— Deus do céu! Ele deve estar morrendo de fome... E se eu não chegar logo com a comidinha delezinho, o patrãozinho tem xilique...

Ajeitou umas frutas dentro de uma folha de bananeira, para carregar com mais facilidade, e lá se foi correndo de volta. Chegou todo animado:

— Olha só quanta coisa. De fome é que a gente não morre. E sabe de uma coisa? Lá dentro é um barato. Lugar danadinho de bom, este. Preciso aprender bem como é que a gente vem aqui, que é pra poder voltar outro dia. Gostei mesmo.

Carlos não conseguia disfarçar o mau humor:

— Ainda bem que você voltou. Não precisava demorar tanto, precisava? Ou será que pegou no sono?

— Também estava comendo, ouviu? Ou será que agora não se pode mais nem comer? — respondeu Chico. — Tome suas frutas.

Carlos pegou o embrulho da folha de bananeira, mas tão mal-humorado e tão de mau jeito que deixou cair tudo no chão. Furioso, começou a brigar com Chico:

— Viu só, seu desastrado, o que você fez? Agora está tudo cheio de areia, não posso comer.

Chico riu:

— Pode comer a banana. É só descascar, que ela fica limpinha. É uma embalagem especial, à prova de desastrados.

— Não estou achando graça nenhuma. E tem mais: não gosto de banana.

Chico pegou a banana do chão.

— Pois eu gosto, e muito. E esta aqui está uma delícia. Se você não quer, como eu.

— Você tem mesmo gosto de macaco, logo se vê. Mas antes de começar a se empanturrar, vá lavar minhas frutas no mar.

Chico ainda teve paciência de sugerir:

— Pra quê? Pra depois você reclamar que está salgado? Tem a barra de um riozinho ali adiante, eu passei por ele quando fui até as pedras. Vamos até lá, lavar na água doce.

Saíram os dois andando pela areia. Na beira do rio, Chico entregou as frutas a Carlos. Guardou só a banana, que começou a descascar. Mesmo assim, ofereceu:

— Carlos, eu já comi. Não faço a menor questão desta banana. Você tem certeza de que não quer?

— Já disse que não gosto, não enche!

Fez um gesto impaciente tão brusco que deixou as frutas caírem todas dentro d'água. Aí é que ele ficou mesmo uma fera, brigando com Chico:

— Que droga! Viu só? Você fica me atrapalhando e eu acabei deixando cair tudo na água. Agora não tenho nada pra comer e estou morrendo de fome.

— Então come a banana.

— É, vou ter que comer mesmo. Me dê ela aqui.

Mas antes que Carlos tivesse tempo para fazer qualquer coisa, no momento exato em que ia comer a fruta já descascada, um mico ligeiro pulou do galho de uma árvore, pegou a banana e voltou lá para o alto com a maior rapidez. Na mesma hora, os garotos ouviram uma gargalhada gostosa. Nesse momento, Carlos perdeu a paciência de uma vez por todas:

— Chega! Assim também já é demais! Não é possível! Este lugar parece que está enfeitiçado. Tudo dá errado. É o barco que encalha, meu calção que some, o seu que desaparece, a calça que o vento carrega, a comida que eu não consigo comer, que droga! E ainda por cima essa risada de deboche!...

Chico teve que concordar, pelo menos em parte:

— Enfeitiçado, não sei. Mas é meio esquisito, sim. Você acha que é feitiço, que é mandinga? Se for, pra mim é mandinga boa. Porque tudo que eu quero aqui logo dá certo. Não posso reclamar. E nunca vi um lugar tão lindo.

Nesse momento, ouviram novamente a mesma gargalhada de antes, mas não dava para perceber de onde vinha. Carlos achou que Chico é que tinha rido:

— Pode dar certo pra você. Mas, pra mim, está tudo errado. E não precisa ficar rindo de mim por causa disso.

Feitiço ou mandinga, Chico não achava que fosse. Mas que o lugar era esquisito, misterioso, lá isso era. Agora vinha essa risada... Era melhor esclarecer que ele não tinha nada a ver com aquilo.

— Não estou rindo de ninguém, muito menos de você...

Quando disse isso, ouviram a risada outra vez. E Carlos podia ver muito bem que quem estava rindo não era Chico:

— Então quem é que está dando essa gargalhada? É o mico, por acaso?

— Acho que é alguém atrás daquela árvore. Vou lá ver.

Decidido, Chico se dirigiu para o ponto de onde vinha o som. Mico ou mandinga, ia descobrir o que era.

4 Uma fada africana de Marte

Não era mandinga, o mico não era, que coisa seria?

Era uma menina.

Uma menina que ria bonito, um sorriso branco como as flores estampadas em seu vestido comprido, fazendo contraste com a pele escura e os cabelos pretos penteados em dezenas de trancinhas enfeitadas de conchas. Chico olhou a menina e ficou até sem fala, pensou consigo mesmo que nunca tinha visto uma menina tão bonita em toda a sua vida. Parecia uma princesa africana, com seu sorriso de luar em noite escura, seus colares de semente e aquelas trancinhas todas, tantas, algumas espetadas no alto da cabeça como se fossem antenas de uma deusa marciana que de repente fosse se comunicar com os habitantes de outro planeta ou galáxia. Chico ficou impressionadíssimo, não sabia dizer se estava se apaixonando à primeira vista ou se estava fascinado por um ser misterioso como nos filmes e nos livros, alguém que podia ter vindo de uma nave interplanetária ou da máquina do tempo, um ser maravilhoso e encantado, que podia ser uma fada ou uma feiticeira. E quando a menina falou, a voz dela parecia música, um canto perfumado, como das sereias ou daquela dona Janaína, Rainha do Mar, das histórias que a avó contava. Chico custou até a entender o que aquela voz quente estava dizendo:

— Não adianta. Não é assim. Venham comigo até a vila.

Só depois de algum tempo é que ele conseguiu responder. Isto é, responder perguntando:

— Não adianta o quê? Não é assim, como?

A menina explicou:

— Não adianta ficar zangado com o mico, nem com o vento, nem com a neblina, nem com coisa nenhuma. Não é assim que se resolve nada. Não é assim que seu amigo vai conseguir comer.

— Meu amigo? — lembrou-se Chico. — É mesmo, vamos até lá falar com ele.

Foram. Quando saíram de trás das plantas e Carlos viu a menina, se espantou. Do jeito que aquele lugar era esquisito, ele estava esperando alguma coisa estranha, e não uma menina. Mas tinha que reconhecer que aquela menina não era como as outras, tinha um ar misterioso, pisava macio, parecia deslizar na areia com seus pés descalços. E usava um cabelo todo diferente, uma roupa como ninguém usava... Mas de qualquer jeito, esquisita ou não, Carlos não podia admitir que ninguém risse dele, quanto mais uma menina. Fez logo cara feia. Aí ela repetiu:

— Não adianta. Não é assim. Venham comigo até a vila.

Carlos olhou com ar intrigado e Chico foi explicando:

— Ela está dizendo que não adianta ficar zangado, Carlos. Pelo jeito, ela sabe de tudo o que andou acontecendo com a gente. Acho que esses crocotós aí na cabeça dela podem ser antenas de marciano, e pode ter algum disco voador vigiando a gente em algum lugar e transmitindo todas as mensagens do que houve conosco. Ela disse também que não é assim que se resolve nada.

— Deixe de ser bobo, Chico, com esse papo de marciano. Quem é essa menina, afinal de contas?

Chico foi obrigado a admitir:

— Não sei, não perguntei.

Mas ela foi respondendo:

— Meu nome é Luana e eu moro ali na vila, que não é longe daqui. Estou convidando vocês para irem até lá comigo, conhecer o pessoal.

— Vamos — concordou Carlos. — Pode ser uma boa.

E entraram os três pelo mato adentro. Realmente, Chico tinha razão. Apesar da raiva e da fome, Carlos tinha que reconhecer que o lugar era lindo, sombreado, com uma temperatura agradável, cheio de flores e borboletas, sem mosquitos, com passarinhos cantando por toda parte. E frutas, muitas frutas, de vários tipos diferentes. Passaram por um cajueiro, Carlos estendeu o braço, tirou um caju, ficou esperando que acontecesse alguma coisa e ele não conseguisse chupar a fruta. Mas não houve nada para atrapalhar. O caju estava delicioso, madurinho, cheio de suco, sem cica nenhuma. Atravessaram um riozinho e passaram por uma cachoeira pequena. Luana ofereceu:

— Querem tomar banho? Eu espero...

Era impossível resistir ao convite. A água estava fresquíssima e gostosa, caindo lá do alto da pedra, bem forte e formando uma espécie de piscina embaixo, junto a uma minúscula prainha de areia clara. De repente, debaixo daquela ducha, Carlos lembrou que só estava vestido com a tal tanga de saco. Na certa ela ia cair com a força da água e ele ia passar vexame na frente da garota. Foi saindo do rio e olhando disfarçado, mas respirou com alívio. Não dava para entender como é que ele tinha perdido um calção e uma calça que estavam bem justos e agora não acontecia nada com aquela tanga amarrada mal e mal. Ainda bem. Perguntou a Luana:

— Falta muito para a vila?

Ela sorriu:

— Não, já estamos chegando. É logo ali, depois daquelas árvores.

Logo chegaram a uma clareira onde havia várias casas de palha e uma porção de gente trabalhando. Várias das casas não tinham paredes, eram só umas coberturas de sapê e dava para ver bem o que o pessoal fazia.

— São quitungos — explicou Luana.

Num desses quitungos, umas mulheres teciam um pano de algodão. Em outro, havia homens e mulheres limpando e salgando peixe, que a criançada ia pondo para secar ao sol, em cima de umas palmas de coqueiro abertas no chão. Mais ao fundo, dois homens faziam girar uma roda que acionava uma espécie de ralador de mandioca: caía uma massa branca num cocho d'água, tinha um cesto comprido e diferente pendurado em dois paus, várias gamelas, um forno num canto com uma frigideirona imensa e um pessoal mexendo um pó claro lá dentro.

— Que é aquilo? — quis saber Chico.

— É uma casa de farinha — explicou Luana —, onde a gente faz tapioca, polvilho e farinha, é claro.

Adiante, um grupo de pessoas debulhava milho, outros socavam alguma coisa dentro de um pilão. Mais longe, dava para ver uma velha que dava comida para a criação. Tinha gente fazendo pote de barro, tinha gente tecendo cesto, tinha gente rachando lenha. E, em algum lugar ali perto, tinha alguém cozinhando uma comida cheirosíssima. Só podia estar também gostosíssima. Carlos estava faminto. O tal caju só tinha ajudado a abrir mais o apetite. Ficou com tanta água na boca que até babou. Luana riu dele outra vez:

— Está mesmo com fome, hein? Vamos dar um jeito nisso. Vou chamar meu avô e logo vamos almoçar, é só preparar alguma coisa rápida. Por favor, traga um pouco de água do rio.

Nem bem acabou de falar e entregou a ele um pote de barro que já era bem pesado, mesmo sem água. Imagine como ia ficar quando estivesse cheio. Carlos tratou logo de passar a vasilha para Chico, a fim de que o amigo fosse até o rio. Mas o outro já estava longe dali, com um cesto na mão em direção a uma pitangueira. Não tinha jeito. Tratou de fazer ele mesmo o que a menina tinha pedido. Foi difícil encher o pote. Pior ainda foi equilibrar a vasilha na cabeça. Tantas vezes ele tinha visto as mulheres que moravam na favela carregarem latas d'água morro acima... Não podia nunca imaginar que era coisa tão difícil, tão pesada, tão trabalhosa. Acabou deixando o pote cair e só com muita sorte conseguiu agarrá-lo antes que se quebrasse. Mas a água derramou toda. Teve que voltar ao rio e, desta vez, para facilitar, não encheu a vasilha toda e veio carregando no colo, segurando o pote com as duas mãos. Tinha que andar devagarzinho e, mesmo assim, se molhou todo dos respingos que iam se entornando. Demorou a voltar ao ponto onde devia encontrar Luana. Quando chegou, ela e Chico já estavam lá, esperando por ele. Com os dois, estava um velho majestoso, vestido em panos coloridos, enfeitado com penas de pássaro e colares de conchas. Se Chico tinha achado que Luana podia ser uma princesa africana, sem dúvida o avô dela tinha a dignidade que a gente imagina num verdadeiro rei. Mas Carlos nem teve tempo de comentar qualquer coisa com Chico. Só pôde entregar o pote d'água e já teve que cumprimentar o velho que se apresentava:

— Sou o avô de Luana. Sejam bem-vindos. Vamos comer juntos e festejar essa visita a nossa ilha.

Carlos ficou no maior assanhamento com a informação:

— Ilha? Mas que ilha é esta? Afinal, o senhor pode nos dizer onde é que nós estamos?

O velho olhou para ele com muita calma e respondeu sem pressa.

— Acho que posso, sim. Mas cada coisa tem seu tempo. Agora, vamos comer.

O jeito foi esperar. Mas, pelo menos, esperar sabendo que já vinha comida.

5 Na força da invenção

Sentaram-se todos numas esteiras, à sombra de uma grande árvore, e Carlos viu que tinha valido a pena esperar. A comida estava mesmo muito gostosa. Simples, feita ali mesmo, com as coisas do lugar: peixe fresquinho com pirão de farinha nova, milho cozido, suco de fruta, broa de fubá. Tudo servido em panelas de barro e gamelas de madeira iguais às que eles tinham visto fazer quando chegaram à vila. De sobremesa, podiam escolher uma variedade enorme de frutas, postas num imenso cesto de palha trançada que, pelo jeito, também tinha sido feito ali na ilha. Comeram enquanto tiveram fome e, desta vez, não aconteceu nada que atrapalhasse Carlos. Assim, era muito melhor. Ele estava até começando a gostar dali. Pensando nisso, lembrou-se de perguntar ao avô de Luana:

— E então, afinal de contas, que lugar é este?

O velho sorriu e respondeu pela metade:

— É uma ilha...

— Sim, isso é a única coisa que nós já sabemos, o senhor já tinha dito antes do almoço. Mas que ilha é esta? Qual é o nome dela? Onde é que ela fica exatamente? Em que lugar do mapa?

Carlos estava ficando impaciente e não dava para disfarçar, ficava atropelando as perguntas. Em compensação, o velho respondeu com uma calma que parecia guardar toda a paciência dos séculos:

— É uma ilha que não tem nome certo. E talvez não fique exatamente em lugar nenhum, também. Não está nem nos mapas, meu filho, não adianta procurar. Mas mesmo sem nome certo, a gente gosta de chamar de Ilha Quilomba.

Desta vez, Carlos ficou animadíssimo:

— Uma ilha que ainda não está nos mapas? Mas isso é uma maravilha... Então, nós descobrimos uma ilha? Chico, você está sacando o que isto quer dizer? Nós somos descobridores, que nem Colombo, vamos ficar famosos. Daqui a um tempão as pessoas vão estudar o nome da gente nos livros. Vão fazer programas de televisão com a gente, filmes contando nossa aventura. Nosso retrato vai sair em tudo quanto é revista. Podemos ficar ricos... Por falar nisso, aqui tem muitas riquezas?

— Uma riqueza incalculável... — respondeu o velho, todo misterioso e sorrindo. — Mas não acho que faça ninguém ficar rico e famoso.

Carlos continuava animadíssimo:

— De qualquer jeito, nós somos os descobridores. Isso ninguém pode negar. Afinal de contas, descobrimos a ilha ou não descobrimos?

— Pode ser... Você concorda com ele, Chico?

A pergunta do avô de Luana pegou Chico um pouco de surpresa. Desde o começo da conversa, só Carlos e o velho é que falavam, e ele estava achando aquele papo muito esquisito. Agora tinha que dar uma opinião. Era melhor ganhar tempo para pensar:

— Concordar com ele? Como assim?

Luana repetiu a pergunta, de um jeito que não dava para ele fingir que não tinha entendido:

— Chico, vovô está querendo saber se você também acha que vocês descobriram a ilha.

Chico falou a verdade e todo mundo achou graça:

— Não. Eu acho é que foi a ilha que nos descobriu.

Ainda rindo, o avô da menina completou:

— Talvez você tenha razão. Mas acho que vocês ainda podem descobrir coisas preciosas nesta ilha.

Carlos voltou a se animar:

— O que é? Um tesouro? Já li muitos livros de ilhas que não estão nos mapas, quer dizer, só estão num mapa especial, e têm tesouros enterrados, da época dos piratas. Acho que descobrir um tesouro é melhor ainda do que descobrir uma ilha. Será que a gente tem que decifrar alguma mensagem secreta? Ou procurar em algum mapa do tesouro?

De repente, o avô de Luana deixou o sorriso de lado e falou muito sério:

— É um tesouro diferente, como tudo aqui é diferente. Um tesouro que nunca ninguém vai poder roubar de vocês. Principalmente de você, Carlos, que é quem mais vai ganhar aqui, porque acho que uma parte desse tesouro o Chico já tem mesmo, e sabe que não é um tesouro feito de riquezas de contar em números ou de guardar trancado.

Carlos estava cada vez mais intrigado:

— Como é que Chico pode ter alguma coisa que eu não tenho? Ainda mais, uma parte de um tesouro... E eu nunca soube... Parece mesmo uma adivinhação.

Luana quis ajudar:

— Como você mesmo disse, Carlos, talvez você tenha que decifrar... Só que não é nenhuma mensagem secreta. Pode ser até uma mensagem, mas está aí, para todo mundo que quiser pensar nas coisas e descobrir sozinho, não é nada secreta...

Carlos ficou em silêncio, seguindo o conselho, pensando, tentando descobrir sozinho. Assim era mesmo muito difícil. Não tinha pista nenhuma. Ficou tão distraído que até levou um susto quando ouviu a voz de Chico perguntar:

— Por que é que a ilha não está no mapa? Isso é que eu não entendo...

— Muito boa pergunta, meu filho... Aí é que está o começo do tesouro que não se conta com números mas se pode contar com palavras. Com as palavras de uma história que começou há muitos e muitos anos, e era uma história feia, que acontecia de verdade todos os dias. A história do tempo do cativeiro.

— Desculpe, mas ainda não estou entendendo — insistiu Chico.

Carlos também estava prestando atenção, curioso, e também não estava entendendo. Ainda bem que o velho esclareceu:

— Não é coisa de entender e explicar. É coisa de contar, pensar e saber. Então eu vou contar. Depois, vocês pensam e ficam sabendo. E aí vão ser donos do tesouro que ninguém pode tirar. Pois então, conto...

Os três se ajeitaram melhor para prestar atenção, e o homem que parecia um rei ou um sábio africano começou:

— Há muito tempo, na época do cativeiro, os escravos trabalhavam o tempo todo para os outros, sem poder ir embora, eram maltratados, separados da família e dos amigos, vendidos, e só sonhavam com uma coisa. Essa coisa era não ser mais escravo, não trabalhar mais para os outros, ser dono do seu tempo, ir para onde cada um bem entendesse e poder aproveitar as coisas boas e úteis que seu trabalho produzia. Esse sonho era tão forte que muita gente lutava de verdade por ele, com as mãos ou com as armas que arranjasse, fazia qualquer coisa na esperança de um dia conseguir. São todas as histórias de escravos que lutavam, fugiam, se reuniam em quilombos e brigavam sem se entregar, até morrer, para nunca mais serem cativos. E muitos, muitos desses escravos morriam, desapareciam. Uma quantidade de gente tão grande que nem dá pra se imaginar. O povo diz que, com o tempo, esses desaparecidos foram começando a aparecer de novo, nos sonhos dos que ficaram. E então mostravam caminhos escondidos, atravessando os campos, o mato e o mar, até chegar numa terra em que todo mundo é livre de verdade, quer dizer, todo mundo é dono do seu trabalho.

— E essa terra é a Ilha Quilomba... — concluiu Carlos.

— Isso mesmo — confirmou Luana. — A terra dos sonhos dos quilombos.

— Mas continuo não entendendo por que é que não tem essa ilha no mapa — quis saber Chico.

O velho explicou:

— É porque não é uma terra como as outras, dessas terras de mapa, aonde qualquer um pode chegar, fincar um marco e dizer que agora é dono — se conseguir se defender com armas. Nada disso. A Ilha Quilomba é diferente, não é terra de mapa. É terra de invenção forte, uma terra que só existe porque muita gente tem muita vontade de que ela exista. Os mais velhos, os mais sábios — tão sábios que algumas pessoas até achavam que eles eram feiticeiros ou mandingueiros, mas isso é bobagem —, enfim, esses sábios de nossa gente foram sonhando essa invenção forte, imaginando bem como é que a terra devia ser. Desse jeito, eles ajudavam os mais moços a lutar para vir para cá. Isso tudo começou há muitos e muitos anos, no tempo do pai de meu pai. Ou antes ainda. Por isso é que aqui, agora, a gente é livre, não tem mais nenhum escravo, de tipo nenhum. Nem declarado, nem disfarçado.

O velho deu um suspiro, recostou-se no tronco da árvore e fechou os olhos, como se estivesse cansado de ter falado tanto. Ficaram todos em silêncio. Depois, Carlos disse:

— Mas isso foi há muito tempo, como o senhor disse. Agora já acabou a escravidão nos outros lugares também. Vocês podem voltar...

O velho parecia ter perdido um pouco daquela paciência de antes:

— Pra quê? Aqui é que cada um trabalha pra todo mundo, mas ninguém é dono do trabalho dos outros.

— Lá também... — insistiu Carlos.

O homem não respondeu. Continuou de olhos fechados. Como se não quisesse discutir. Parecia até que estava dormindo. E Carlos estava mesmo ficando com sono, naquele calorzinho, de barriga cheia. Mas Luana riu e perguntou:

— Ah, é? Então me explica: como é que logo que você chegou aqui foi ficando sem nada? Se não eram coisas do trabalho dos outros, como é que você foi perdendo tudo? A roupa... A comida...

Como é que ela podia saber disso? Carlos estava intrigado. Cada vez pensava mais nisso. Pensou na roupa dele, que tinha sumido como se tivesse desmanchado, desaparecido no ar ou na água. Pensou nas frutas que não conseguiu comer, que caíram, foram levadas pelo mico. E lembrou também que nada tinha acontecido com Chico. Nada ruim. Só coisas boas. Mas ainda argumentou:

— Coincidência... Isso não quer dizer nada. Veja bem: não perdi esta tanga, ela está bem presa. Será que isto não é roupa? E este almoço maravilhoso, não é comida?

— Não diga bobagem, Carlos. É só pensar um instante: a tanga foi feita com o trabalho de quem? E já se esqueceu que quem trouxe a água para cozinhar foi você? É claro que tinha que dar certo.

Chico tentou vir em socorro do amigo, meio confuso com tudo aquilo:

— Mas também, Luana, ninguém pode fazer todas as coisas sozinho...

— Exatamente. Ninguém pode fazer tudo. Logo, ninguém pode ficar sem fazer nada. E também, ninguém pode fazer quase tudo e ninguém pode fazer quase nada. Cada um faz sua parte. Tem tanta coisa pra fazer, tanta coisa que todo mundo precisa... Um faz casas, outro cozinha, outro planta, outro toca música, outro conta histórias, outro caça, outro rema. Cada um faz o que sabe, o que precisa, o que pode trocar pelo que o outro está fazendo... Mas ninguém tem nada que ficar mandando outro trabalhar em seu lugar.

Enquanto Luana dizia essas coisas e outras do mesmo tipo, repetindo e ecoando palavras, o avô cochilava e Carlos e Chico prestavam atenção. Reparavam nela, no que ela dizia, e no seu jeito de fada ou feiticeira, misteriosa princesa da África ou de Marte, com suas anteninhas de cabelo vivo e trançado de concha na ponta, capaz talvez de se comunicar com seres de outras galáxias ou de outros tempos, captando e transmitindo mensagens que era preciso decifrar, sentidos secretos que mostravam os tesouros e as riquezas incalculáveis da Ilha Quilomba. A voz dela, mais uma vez, era música. Agora, uma cantiga de ninar, embalando os pensamentos num bambalalão de vaivém preguiçoso, pra lá e pra cá. Chico fechou os olhos, ficou só ouvindo aquela canção que falava do tesouro da liberdade e do sonho, da alegria que o trabalho pode ter, pensando na beleza de Luana, no mistério de Luana, no feitiço bom dos encantos de Luana. Achou que ia dormir e sonhar com ela. Compreendeu que era isso mesmo: volta e meia ia sonhar com ela de verdade, pelo resto da vida. Com Luana, com Quilomba, com todas as belezas das duas.

Carlos também foi sentindo sono. Mas não queria dormir. Sabia que ainda tinha muito o que pensar, se quisesse descobrir

mesmo os mistérios daquele dia e daquele lugar, o sonho que não era mandinga, o tesouro que depois ia ficar para sempre com ele, sem que ninguém nunca pudesse roubar. Fez força para manter os olhos abertos, ouvindo a melodia daquela voz, acompanhada pela canção do vento nas palmas dos coqueiros, gotejando como chuva. Procurou alguma coisa para fixar o olhar e não dormir. Viu na areia um buraco de maria-farinha. Ou goroçá, como dizia Chico. E, dessas coisas do mar, o amigo entendia. Não só dessas, aliás, pensou Carlos. Entendia também de coisas da terra e coisas do vento, de todas as coisas que davam trabalho e que ele, Carlos, não queria fazer. Vai ver, era por aí o caminho do tesouro, o tal tesouro de que Chico tinha uma parte e Carlos ainda tinha que descobrir, decifrar. Como se fosse uma mensagem secreta. Ou uma linguagem antiga, dos tais povos que viveram há um tempão e usaram uma escrita que parecia rastro de caranguejo. Bem como esses riscos que o goroçá deixava agora, andando pra lá e pra cá pelo chão, pra lá e pra cá, como uma rede balançando, como um bambalalão de ninar criança, como se a voz de Luana fosse um vaivém suave, pra lá e pra cá...

Não. Carlos não ia deixar que aquela voz meio enfeitiçada ou encantada fizesse ele dormir. Só tinha fechado os olhos um instante, menos de um minuto, tinha certeza. Abriu os olhos com força e sentou-se. Bem à sua frente, os risquinhos do rastro do caranguejo na parede mostravam que estava acordado. Levou um susto. Caranguejo na parede? Como? Que parede era essa? Foi reconhecendo o lugar: a janela com a persiana fechada, os cartazes pregados por toda parte, a parede em frente à sua própria cama, que o irmãozinho tinha rabiscado e agora ele confundia com rastro de caranguejo ou mensagem de povos antigos. Puxa, que sonho esquisito o dessa noite! Mas agora era bom levantar. Abriu a janela. O dia estava lindo, tão lindo quanto se puder imaginar. E ele estava de férias. Podia ir passear de barco. Engraçado, parecia que aquilo já tinha acontecido antes, bem desse jeito. Talvez fosse no sonho esquisito que não conseguia lembrar. Bom, era melhor não esquentar a cabeça, que depois lembrava. Abriu a gaveta para pegar uma roupa. Não achou o calção. Ia gritar pela empregada, reclamando que as coisas nunca estão no lugar certo, será que ela não aprendia nunca? Nesse momento, olhou para a cadeira e viu em cima dela um saco de estopa velho. Não era possível! Estava amarrado com um nó do lado, como se fosse uma tanga improvisada, dessas de náufrago. Igual à dele, no sonho. De repente, estava lembrando. Do sonho, da Ilha Quilomba. Ia mandar Maria fazer o café depressa, para ele sair de barco. Nesse momento, lembrou de Luana, da mandinga da ilha, do tesouro dos tempos sem cativeiro. Não ia dar ordens. Foi ele mesmo até a cozinha e pôs o leite para esquentar. E nas bolhas que se formaram em cima da fervura, bem rápido, antes que se desmanchassem quando ele apagou o fogo, viu tudo de novo e descobriu. Com todas as cores, como um arco-íris que num instante vai se apagar, viu de novo as imagens da Ilha Quilomba, Luana, o avô e seu tesouro. Seu, dele, Carlos.

Porque agora era dele, que ele tinha descoberto o tesouro, decifrado a mensagem, entendido a Ilha Quilomba, paraíso em que ele também podia morar. Só dependia do que ele fizesse, com seu trabalho e com a força de sua invenção.

anamariamachado

com todas as letras

Nas páginas seguintes, conheça a vida e a obra de Ana Maria Machado, uma das maiores escritoras da literatura infantojuvenil brasileira.

Biografia

Árvore de histórias

"Escrevo porque é da minha natureza, é isso que sei fazer direito. Se fosse árvore, dava oxigênio, fruto, sombra. Mas só consigo mesmo é dar palavra, história, ideia." Quem diz é Ana Maria Machado.

Os cento e tantos livros dela mostram que deve ser isso mesmo. Não só pelo número impressionante, mas sobretudo pela repercussão. Depois de receber prêmios de perder a conta, em 2000 veio o maior de todos. Nesse ano, Ana Maria recebeu, pelo conjunto de sua obra, o prêmio Hans Christian Andersen.

Para dar uma ideia do que isso significa, essa distinção internacional, instituída em 1956, é considerada uma espécie de Nobel da literatura para crianças. E apenas uma das 22 premiações anteriores contemplou um autor brasileiro. Aliás, autora: Lígia Bojunga Nunes, em 1982.

Mas mesmo um reconhecimento como esse não basta para qualificar Ana Maria. Dizer que ela está entre os maiores nomes da literatura infantojuvenil mundial é verdade, mas não é tudo.

Primeiro, porque é difícil enquadrar seus livros dentro de limites de idade. Prova disso é a sua entrada, em abril de 2003, para a Academia Brasileira de Letras – instituição da qual já havia recebido, em 2001, o prêmio Machado de Assis, o mesmo concedido a Guimarães Rosa, Cecília Meireles e outros gigantes da literatura brasileira.

Segundo, porque outra obra fascinante de Ana Maria é sua vida. Ela é daquelas pessoas que não param quietas, sempre experimentando, aprendendo, buscando mais. Não só na literatura. Antes de fixar-se como escritora, trabalhou num bocado de outras coisas. Foi artista plástica, professora, jornalista, tocou uma livraria, trabalhou em biblioteca, em rádio... Fez até dublagem de documentários!

Nos anos 1960 e 1970, foi voz ativa contra a ditadura, a ponto de ter sido presa e acabar optando pelo exílio na França. Esse país acabou sendo um dos lugares mais marcantes de suas andanças pelo mundo. Ana também viveu na Inglaterra, na Itália e nos Estados Unidos. Ainda hoje, embora tenha endereço oficial – mora no Rio de Janeiro –, vive pra cá e pra lá. Feiras, congressos, conferências, encontros, visitas a escolas... Ninguém mandou nascer com formiga no pé!

Ana junto à estátua de Hans Christian Andersen, em Nova York.

Fã de Narizinho

Ana Maria publicou seu primeiro livro infantil, *Bento que bento é o frade*, aos 36 anos de idade, mas já vivia cercada de histórias desde pequena. Nascida em 1941, no Rio de Janeiro, aprendeu a ler sozinha, antes dos cinco anos, e mergulhou em leituras como o *Almanaque Tico-Tico* e os livros de Monteiro Lobato – *Reinações de Narizinho* está entre suas maiores paixões.

Ana, aos 2 anos, com a boneca Isabel

Cresceu na cidade grande, mas passava longas férias com seus avós em Manguinhos, no litoral do Espírito Santo, ouvindo e contando um montão de "causos". Aos doze anos, teve seu texto "Arrastão" (sobre as redes de pesca artesanal, que conheceu em Manguinhos) publicado numa revista sobre folclore.

Muito depois, no início dos anos 1970, outra revista – *Recreio* – deu o impulso que faltava para Ana virar escritora de vez: convidou-a para escrever histórias para crianças. Ana não entendeu muito bem por que procuraram logo ela, uma professora universitária sem nenhuma experiência no assunto. Mas topou.

E nunca mais parou de escrever e de crescer como autora para crianças, jovens e adultos. Nessa trajetória de aprendizado e sucesso, sempre foi acompanhada de perto por uma grande amiga, também brilhante escritora. Quem? Ruth Rocha, que entrou em sua vida como cunhada.

Por falar em família, Ana tem três filhos. Do casamento com o irmão de Ruth, o médico Álvaro Machado, nasceram os dois primeiros, Rodrigo e Pedro. Luísa, a caçula, é filha do segundo marido de Ana, o músico Lourenço Baeta. E, desde 1996, começaram a chegar os netos: Henrique, Isadora...

Fortalecida por tanta gente querida e pelo amor pela literatura, Ana Maria nunca deixou de batalhar pela cultura, pela educação e pela liberdade. Seu maior instrumento é o trabalho como escritora. Afinal, como ela diz, "as palavras podem tudo".

Para saber mais sobre a autora, visite o *site* <www.anamariamachado.com>

Bastidores da criação

Um símbolo de esperança

Sabe a história da sopa de pedra? Aquela em que o Pedro Malasartes estava viajando, com fome, pediu uma panela com água numa casa, pôs uma pedra dentro e, depois de dizer que ia fazer uma sopa, começou a conseguir com a dona da casa ingredientes para a comida... No final, ele joga fora a pedra e fica só com a sopa, que não precisava daquilo.

Pois, de certo modo, com este livro aconteceu o mesmo. Ele partiu de uma palavra que eu achava engraçada: *mandinga*. Uma palavra de origem africana, de um lado da nossa cultura que não costuma muito entrar nos livros. Principalmente para crianças. Então eu resolvi que ia fazer uma história com ela.

Nessa ocasião, me convidaram para um Congresso de escritores na Venezuela. Cada país latino-americano seria representado por um autor, que levaria um conto curto. Todos leriam os textos, que seriam discutidos. E eu fiz um conto chamado *Mandingas da Ilha Quilomba*, que acabou sendo publicado lá mesmo, em espanhol. Gostaram muito, mas eu não gostei. Achei que ficou compacto demais, as aventuras se sucediam muito rápido em poucos parágrafos, depois vinha a explicação e acabava. Não quis publicar no Brasil.

Anos depois, estava passando uma temporada na beira da praia e um caranguejinho fez amizade comigo. De verdade. Eu tinha deixado cair uma migalha de biscoito perto do pé, ele veio comer, eu fiquei reparando. Dei outro pedacinho. E mais outro. Foi muito divertido, nunca pensei que caranguejo comesse biscoito. Ele pegava com a puã e botava na boca, eu nunca tinha reparado em boca de caranguejo. Depois troquei de lugar e ele foi atrás de mim, como se pedisse mais. Ficamos um tempão assim, e eu achei que queria escrever uma história que tivesse um caranguejo. Mas também andava reparando muito nos pescadores do lugar, na trabalheira deles, no pouco que ganhavam. E via um veleiro que deslizava, com os marinheiros vestidos em roupas desbotadas pelo sol enquanto o dono ia todo elegante e na moda. Então essas coisas foram todas se misturando numa história que retomava algumas ideias do tal conto que eu não quisera publicar, mas agora as trabalhava mais e desenvolvia de outra forma.

Saiu então este livro, em outra edição, que inicialmente tinha o mesmo título do conto. Mas descobri que muita gente não

Ana Maria Machado, quando menina, entre pescadores, em Manguinhos (ES), 1952.

gostava da palavra *mandinga* e reclamava. Não por ela ser africana, mas porque a associavam a feitiçaria. O editor me sugeriu que mudasse o título e eu concordei. Quer dizer, joguei fora a pedra e fiquei só com a sopa. E o livro ficou sendo *O mistério da ilha*. Para mim, uma história do mar e da cultura africana.

Quando os leitores foram começando a conversar comigo sobre o livro, me mostraram umas coisas que eu nem tinha visto, conscientemente, quando escrevi. Só então reparei que também era um livro sobre o trabalho e a organização econômica da sociedade. Lembro de um papo ótimo que tive com uns alunos de uma escola noturna perto de Bauru, no Estado de São Paulo. Eram adolescentes que trabalhavam de dia como boias-frias e estavam exaustos. Mas conversaram sobre o livro com tanta animação que nem parecia... Eles me mostraram sua emoção em ver numa história uma coisa que eles conheciam na vida real: o cansaço do trabalho duro que acrescenta às coisas um novo valor, mas muitas vezes quem criou esse valor não pode aproveitar o resultado. Para eles, a Ilha Quilomba não era um encantamento, mas um símbolo de esperança de um tempo em que as coisas possam ser diferentes.

E eu saí dessa conversa pensando num mistério que não é só dessa ilha, mas da própria literatura. Como é que a gente escreve um livro achando que está tratando de uma coisa e o leitor descobre nele outras coisas inesperadas? E como é que um leitor pode revelar ao autor algo sobre sua própria obra? Não sei. Mas que pode, pode.

Obras de Ana Maria Machado

Em destaque, os títulos publicados pela Ática

Para leitores iniciantes

Banho sem chuva
Boladas e amigos
Brincadeira de sombra
Cabe na mala
Com prazer e alegria
Dia de chuva
Eu era um dragão
Fome danada
Maré baixa, maré alta
Menino Poti
Mico Maneco
No barraco do carrapato
No imenso mar azul
O palhaço espalhafato
Pena de pato e de tico-tico
O rato roeu a roupa
Surpresa na sombra
Tatu Bobo
O tesouro da raposa
Troca-troca
Um dragão no piquenique
Uma arara e sete papagaios
Uma gota de mágica
A zabumba do quati

Primeiras histórias

Alguns medos e seus segredos
A arara e o guaraná
Avental que o vento leva
Balas, bombons, caramelos
Besouro e Prata
Beto, o Carneiro
Camilão, o comilão
Currupaco papaco
Dedo mindinho
Um dia desses...
O distraído sabido
Doroteia, a centopeia
O elefantinho malcriado
O elfo e a sereia
Era uma vez três
Esta casa é minha
A galinha que criava um ratinho
O gato do mato e o cachorro do morro
O gato Massamê e aquilo que ele vê
Gente, bicho, planta: o mundo me encanta
A grande aventura de Maria Fumaça
Jabuti sabido e macaco metido
A jararaca, a perereca e a tiririca
Jeca, o Tatu
A maravilhosa ponte do meu irmão
Maria Sapeba
Mas que festa!
Menina bonita do laço de fita
Meu reino por um cavalo
A minhoca da sorte
O Natal de Manuel
O pavão do abre e fecha
Quem me dera
Quem perde ganha
Quenco, o Pato
O segredo da oncinha
Severino faz chover
Um gato no telhado
Um pra lá, outro pra cá
Uma história de Páscoa
Uma noite sem igual
A velha misteriosa
A velhinha maluquete

Para leitores com alguma habilidade

Abrindo caminho
Beijos mágicos
Bento que Bento é o frade
Cadê meu travesseiro?
A cidade: arte para as crianças
De carta em carta
De fora da arca
Delícias e gostosuras
Gente bem diferente
História meio ao contrário

O menino Pedro e seu Boi Voador
Palavras, palavrinhas, palavrões
Palmas para João Cristiano
Passarinho me contou
Ponto a ponto
Ponto de vista
Portinholas
A princesa que escolhia
O príncipe que bocejava
Procura-se Lobo
Que lambança!
Um montão de unicórnios
Um Natal que não termina
Vamos brincar de escola?

Livros de capítulos

Amigo é comigo
Amigos secretos
Bem do seu tamanho
Bisa Bia, Bisa Bel
O canto da praça
De olho nas penas
Do outro lado tem segredos
Do outro mundo
Era uma vez um tirano
Isso ninguém me tira
Mensagem para você
O mistério da ilha
Mistérios do Mar Oceano
Raul da ferrugem azul
Tudo ao mesmo tempo agora
Uma vontade louca

Teatro e poesia

Fiz voar o meu chapéu
Hoje tem espetáculo
A peleja
Os três mosqueteiros
Um avião e uma viola

Livros informativos

ABC do Brasil
Os anjos pintores
Explorando a América Latina
Manos Malucos I
Manos Malucos II
O menino que virou escritor
Na praia e no luar, tartaruga quer o mar
Não se mata na mata: lembranças de Rondon
Piadinhas infames
O que é?

Histórias e folclore

Ah, Cambaxirra, se eu pudesse...
O barbeiro e o coronel
Cachinhos de ouro
O cavaleiro do sonho: as aventuras e desventuras de Dom Quixote de la Mancha
Clássicos de verdade: mitos e lendas greco-romanos
O domador de monstros
Dona Baratinha
Festa no Céu
Histórias à brasileira 1: a Moura Torta e outras.
Histórias à brasileira 2: Pedro Malasartes e outras
Histórias à brasileira 3: o Pavão Misterioso e outras
João Bobo
Odisseu e a vingança do deus do mar
O pescador e Mãe d'Água
Pimenta no cocuruto
Tapete Mágico
Os três porquinhos
Uma boa cantoria
O veado e a onça

Para adultos

Recado do nome
Alice e Ulisses
Tropical sol da liberdade
Canteiros de Saturno
Aos quatro ventos
O mar nunca transborda
Esta força estranha
A audácia dessa mulher
Contracorrente
Para sempre
Palavra de honra
Sinais do mar
Como e por que ler os clássicos universais desde cedo